PATRICK SOBRAL

LES LÉGENDAIRES

LE CYCLE D'ANATHOS

10. LA MARQUE DU DESTIN

Ce tome 10 est une pierre tournante dans la série des Légendaires.
J'espère que vous suivrez avec toujours autant de passion
les nouvelles aventures de nos héros.

Retrouve tes héros sur leur site officiel
www.leslegendaires-lesite.com

Rejoins les Légenfans

www.facebook/legendairesbd

Ouvrage dirigé par Thierry Joor

Dépôt légal : mars 2009. ISBN : 978-2-7560-1588-0

Conception graphique : Trait pour Trait

Loi n° 49-956 du 16 juillet 1949
sur les publications destinées à la jeunesse

Achevé d'imprimer en février 2018 sur les presses de l'imprimerie PPO à Palaiseau, France.

www.editions-delcourt.fr

KORBO
"LES AVENTURES EXTRAORDINAIRES ...
... DE KORBO, L'ARCHÉOLOGUE AVENTURIER" !!!

ALORS CE SONT CES ÂNERIES QUE TU LIS PENDANT LA RÉCRÉ ?

HEIN...
... RAZZIA ?
CLAP !

ENCORE LE GANG DES GOLDEN SKULLS QUI S'EN PREND À CE PAUVRE RAZZIA...
MAIS OÙ SONT LES PROFS QUAND ON A BESOIN D'EUX ?

RENDEZ-MOI... MON LIVRE !

TU... M'AS... DONNÉ UN ORDRE ? JE RÊVE PAS ?

POUR QUI TU TE PRENDS, SALE BOUSEUX ?!
TU VAS GOÛTER AU CUIR DE MES CHAUSSURES !!!
1

JE VOUS AVAIS POURTANT PRÉVENUS QUE SI VOUS VOUS EN PRENIEZ ENCORE À RAZZIA...
... VOUS AURIEZ AFFAIRE À MES POINGS !!!
S... SHEYLA !!
TU N'AURAS PAS TOUJOURS TA SŒUR POUR TE PROTÉGER !! CE N'EST QUE PARTIE REMISE !!!
SHAAAAA...
ÇA... ÇA VA ?
MERZI, SHEYLA !!!
ZE ZAVAIS QUE TU ZERAIS LÀ POUR ME ZAUVER !!
MAIS QUAND EST-CE QUE TU VAS APPRENDRE À TE DÉFENDRE TOUT SEUL ?
TU M'ÉNERVEUH !!!
FINALEMENT, ELLE OU LES GOLDEN SKULLS ...
BAM
BAM
BAM
BAH...
... TU ZAIS BIEN QUE Z'AIME PAS ME BATTRE !
TU PARLES D'UN GRAND FRÈRE !!
MOI, ZE DONT ZE RÊVE, Z'EST DE DEVENIR ARCHÉOLOGUE COMME LE GRAND KORBO !!
C'EST UN PERSONNAGE DE FICTION, ESPÈCE DE CRÉTIN !!!
ZA, ZE M'EN FICHE !! ZE CROIS EN MES RÊVES !!
RAZZIA ...

ET ZI ZE N'ARRIVE PAS À LES RÉALISER, QUE ZE ZOIS FOUDROUYÉ ZUR PLAZE !!!

VOUS ALLEZ VOUS REMUER, BANDE DE LARVES ??

DESCENDEZ-MOI CES VOILES AVANT QU'ELLES NE NOUS ENTRAÎNENT PAR LE FOND !!!

PLUS FAZILE À DIRE QU'À FAIRE, CAPITAINE OLBATAR !!!

?!

TÉNÉBRIZ !!!
POURQUOI N'ES-TU PAS REZTÉE EN CABINE AVEC LES AUTRES ?

DÉSOLÉE, MON AMOUR ! MAIS JE PRÉFÈRE BRAVER CETTE TEMPÊTE PLUTÔT QUE D'ASSISTER À L'INTERROGATOIRE DE SHIMY !!!

ÇA NE ME RAPPELLE PAS VRAIMENT DE BONS SOUVENIRS...
3

...

...
DANAËL..
LES CORDES SONT VRAIMENT NÉCESSAIRES ? ÇA NE ME MET PAS TRÈS À L'AISE !

MERCI, JADINA ... MAIS C'EST MOI QUI AI DEMANDÉ À ÊTRE ATTACHÉE !
APRÈS TOUT, ON NE SAIT PAS QUAND NI COMMENT ANATHOS VA S'EMPARER DE MON CORPS !
ÇA N'ARRIVERA PAS, SHIMY ! ON SAURA L'EMPÊCHER !!
ÉCOUTE ...
JE SAIS QUE LES LOIS ELFIQUES T'INTERDISENT EN PRINCIPE DE PARLER DU RITUEL ÉLÉMENTAIRE...
... MAIS NOUS DEVONS SAVOIR COMMENT LA MARQUE DU DIEU DU MAL A PU ARRIVER SUR TON FRONT !!

J'AVAIS SEIZE ANS ... J'AI REÇU LA MARQUE LE JOUR DE MA "KARYSAL" ...
... LE JOUR OÙ J'AI ÉTÉ CHOISIE PARMI CEUX DE MA GÉNÉRATION POUR DEVENIR GARDIENNE DU MONDE ELFIQUE... LE JOUR OÙ JE SUIS DEVENUE
ELFE ÉLÉMENTAIRE !!!
4

SELON LA TRADITION, JE SUIS ENTRÉE SEULE DANS LE TEMPLE KARYS, LÀ OÙ DEPUIS LA NUIT DES TEMPS, LES ELFES TELS QUE MOI REÇOIVENT LA BÉNÉDICTION DES ESPRITS ÉLÉMENTAIRES.

ENTRE, JEUNE ELFE DE KOLÉANA !! APPROCHE ET N'AIE AUCUNE CRAINTE...
VIENS RECEVOIR LA MARQUE DE L'ÉLUE QUI TE GUIDERA LE RESTE DE TA VIE SUR LE CHEMIN DE LA JUSTICE ...

C'EST AVEC HONNEUR ET SANS PEUR QUE JE L'ACCEPTE !!
BIEN !!
ET C'EST AU MOMENT OÙ CET ESPRIT ÉLÉMENTAIRE ALLAIT M'OFFRIR SA MARQUE ... QU'EST APPARU... UN NOUVEL ESPRIT !!!

TU SOUHAITES LA PUISSANCE ABSOLUE, JEUNE ELFE ?
LE DÉSIRES-TU ?
UN POUVOIR SANS LIMITE EST À TA PORTÉE...
LE DÉSIRES-TU ?
TOUS LES AUTRES ESPRITS ÉLÉMENTAIRES ONT ÉTÉ ÉCLIPSÉS PAR SON APPARITION !! TOUT MON ÊTRE ME CRIAIT DE M'ENFUIR DE LÀ, ET POURTANT MA SEULE RÉACTION A ÉTÉ DE RÉPONDRE ...
OUI !

L'INSTANT D'APRÈS, JE M'ÉVEILLAI AU PIED DU TEMPLE, À MOITIÉ PERSUADÉE D'AVOIR RÊVÉ CETTE RENCONTRE. MAIS LES FAITS ÉTAIENT CLAIRS, MA CLÉ ELFIQUE ET MOI AVIONS ÉTÉ MARQUÉES PAR CET ESPRIT SI PUISSANT !!!
5

PAUVRE IDIOTE !!!
DANAËL ...

TA SOIF DE POUVOIR A PERMIS À ANATHOS DE TROUVER UNE PORTE DE SECOURS EN FAISANT DE TOI SA CLÉ !! TU PEUX ÊTRE FIÈRE, SHIMY !!!

DA... DANAËL ...

JE MONTE SUR LE PONT INFORMER RAZZIA ET TÉNÉBRIS ! SURVEILLEZ-LA JUSQU'À MON RETOUR !!
JE SUIS...

... DÉSOLÉE !

SHIMY ...

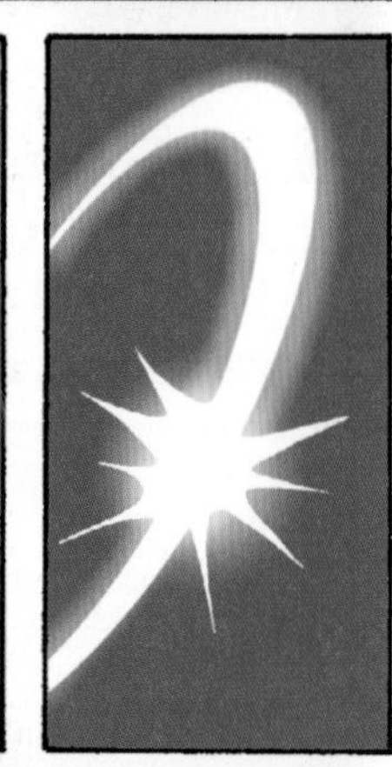

ÇA VA ALLER...
... JE TE LE PROMETS !!
GRYF...

EUH... HEM !! EXCUSEZ-MOI MAIS...

... VOUS NE TROUVEZ PAS ÉTRANGE QUE LE NAVIRE NE TANGUE PLUS MALGRÉ LA TEMPÊTE ?

HAAA ...
QU'EST-CE QUE... ?
L'UNICORN !!!
LE NAVIRE S'ENVOLE DANS LES AIRS !!!

UNE... UNE TORNADE, CAPITAINE ?
...
NON, MATELOT !!
LES FORCES DÉCHAÎNÉES DE LA NATURE N'ONT RIEN À VOIR DANS CE PHÉNOMÈNE !!
NOUS AVONS AFFAIRE À DE LA MAGIE !!

REGARDEZ !! UN RAYON DE LUMIÈRE SURGIT DES NUAGES !!
LE ZOLEIL ?

Z'EST DINGUE !! IL NE PLEUT PAS À L'INTÉRIEUR !
C'EST COMME SI L'AIR... CRÉPITAIT TOUT AUTOUR !!
...
J'AI LA BERLUE ...

"... OU BIEN QUELQUE CHOSE FLOTTE AU CŒUR DE CETTE LUMIÈRE ?!"

QU'EST-ZE QUE Z'EST ...
... QUE ÇA ?
C'EST ...
... ANATHOS !!!
OU TOUT DU MOINS SA PRISON SPIRITUELLE !!
MAIS... ZA VEUT DIRE...
QU'IL EST LÀ POUR SE RÉINCARNER DANS SHIMY !!!
... LA DESTINÉE !!!
SHIMY !!!
C'EST... LUI !!
C'EST ANATHOS !!
ANATHOS EST ICI !!
VOTRE VOYAGE S'ARRÊTE ICI, HUMAINS !! CAR JE SUIS LA FIN DE TOUTE CHOSE, JE SUIS ...
SHIMY !! QU'EST-CE QU'IL Y A ?
8

...

24 HEURES ? ET POURQUOI, MOI QUI PRÉPARE MON RETOUR PARMI LES VIVANTS DEPUIS DES SIÈCLES, JE CONSENTIRAIS À VOUS ACCORDER CE DÉLAI ??

FLOOOOSH

ANATHOS S'EST VOLATILISÉ !!
ON DIRAIT QUE TON BLUFF A FONCZIONNÉ, DANAËL !!

QUEL BLUFF ?
TU... TU NE VEUX PAS DIRE QUE DEMAIN NOUS ALLONS RÉELLEMENT AFFRONTER UN DIEU ?!

CAPITAINE OLBATAR...

...
JE SAIS CE QUE VOUS ALLEZ ME DEMANDER ...
L'UNICORN VA VOUS DÉPOSER SUR L'ÎLE DÉSERTE LA PLUS PROCHE AVEC DES VIVRES. NOUS REVIENDRONS VOUS CHERCHER D'ICI QUELQUES JOURS... ENFIN, SI VOUS ÊTES TOUJOURS EN VIE !!

C'EST LE MOINS QUE NOUS PUISSIONS FAIRE !
MON NAVIRE N'A PAS OUBLIÉ LA DETTE QU'IL A ENVERS VOUS, LÉGENDAIRES !! ET MÊME SI VOUS ÊTES À PRÉSENT RECHERCHÉS DANS TOUT ALYSIA POUR TRAHISON, NOUS SOMMES AVEC VOUS !!!

ALORS VOUS SOUHAITER BONNE CHANCE NE SERA PAS DE TROP !
DA... DANAËL !! Y FAUT QUE TU REGARDES PAR IZI...

QUOI ?
HO MINCE ...

SHIMY !!! SES CHEVEUX ... ILS SONT DEVENUS BLANCS !!!
DANAËL... IL FAUT FAIRE LA PEAU À CETTE ORDURE... SINON, C'EST SHIMY QUI VA Y PASSER !
A...
GRYF A RAISON !
ANATHOS VA... REVENIR ET CE SERA... LA FIN DU MONDE !
10

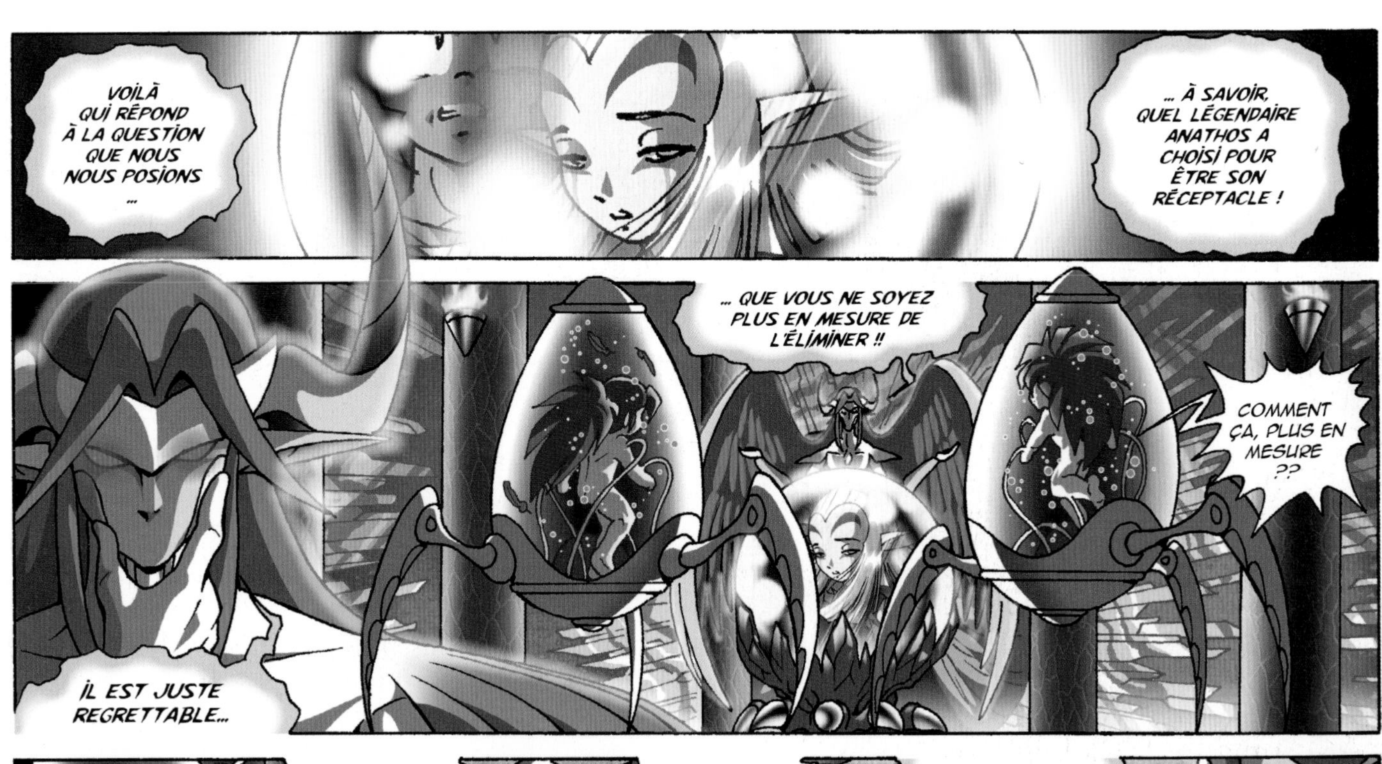
VOILÀ QUI RÉPOND À LA QUESTION QUE NOUS NOUS POSIONS ...
... À SAVOIR, QUEL LÉGENDAIRE ANATHOS A CHOISI POUR ÊTRE SON RÉCEPTACLE !
IL EST JUSTE REGRETTABLE...
... QUE VOUS NE SOYEZ PLUS EN MESURE DE L'ÉLIMINER !!
COMMENT ÇA, PLUS EN MESURE ??

SORTEZ-NOUS DE CES THÉIÈRES SUR PATTES ET VOUS ALLEZ VOIR DE QUOI ON EST CAPABLES QUAND ON NOUS CHAUFFE !!!
ÇA VA FAIRE UNE SEMAINE QU'ON BAIGNE DANS CETTE MIXTURE !!!
VOS CORPS, BIEN QUE PLUS RÉSISTANTS QUE LES ANCIENS, NE SONT PAS INDESTRUCTIBLES !!
MÊME SI VOUS AVEZ ÉCHAPPÉ À LA MORT EN OUVRANT UN PASSAGE VERS MON CHÂTEAU, VOUS AVEZ ÉTÉ GRIÈVEMENT BLESSÉS PAR L'EXPLOSION !! VOUS DEVREZ RESTER ENCORE UN JOUR DANS CES CUVES POUR VOUS RÉTABLIR ENTIÈREMENT !

MAIS... ATTENDEZ ! JE CROYAIS QU'ANATHOS AVAIT JETÉ UN CHARME POUR NOUS EMPÊCHER DE LOCALISER LES LÉGENDAIRES ?!
C'EST VRAI, ÇA ! COMMENT A-T-ON PU VOIR CES IMAGES ?

ANATHOS A DÛ APPRENDRE QUE VOUS NE REPRÉSENTIEZ PLUS UNE MENACE !! IL A DONC CHOISI DE DISSIPER LE BROUILLAGE !!!
RECONNAISSONS NOTRE ÉCHEC ! VOUS NE POURREZ RIEN FACE À UN ANATHOS RÉINCARNÉ... MÊME AVEC VOS PLEINS POUVOIRS !

ALORS LA SOLUTION EST TOUTE TROUVÉE ...
DONNEZ-NOUS-EN PLUS !!!

ÎLE D'ERGHYR...

MES AMIS, VOICI L'ENDROIT OÙ SE DÉROULERA LE COMBAT ULTIME !!!

DANAËL...
COMMENT ES-TU ZERTAIN QU'ANATHOZ NOUS TROUVERA ZUR ZETTE ÎLE ?
IL LE FERA DE LA MÊME MANIÈRE QU'IL NOUS A TROUVÉS EN PLEIN OCÉAN !!
N'EST-CE PAS, DANAËL ?
...
OUI, HÉLAS... C'EST SHIMY QUI LE CONDUIRA JUSQU'À NOUS !!!

JE SUIS À PRÉSENT CONVAINCU QU'UN LIEN PSYCHIQUE LES UNIT TOUS LES DEUX !! OÙ QUE SE TROUVE SHIMY, ANATHOS LE SAURA !
JE SUIS ÉGALEMENT SÛR QUE LE DIEU PEUT VOIR ET ENTENDRE PAR SON INTERMÉDIAIRE ... ANATHOS NE SEMBLAIT PAS SURPRIS QUE NOUS CONNAISSIONS SES PLANS !!

Z'IL A TOUZOURS ZU OÙ ÉTAIT SHIMY ...
... POURQUOI AVOIR ATTENDU ZI LONGTEMPS POUR AZIR ?

LE CORPS ACTUEL D'ANATHOS ÉTAIT SA PRISON, NE L'OUBLIONS PAS !!! IL A DÛ LUI FALLOIR DES SIÈCLES POUR EN PRENDRE LE CONTRÔLE !!! SEUL SON ESPRIT POUVAIT AGIR !
11

TÉNÉBRIS...
RAZZIA...
... IL Y A UNE RAISON POUR QUE NOUS SOYONS TOUS LES TROIS SUR CETTE BARQUE, À L'ÉCART DES AUTRES ... J'AI QUELQUE CHOSE À VOUS DEMANDER...

QUELQUE CHOSE ...

... DE TERRIBLE !!
12

CHRAK

?!

C'EST BON, GRYF !! JE PEUX MARCHER TOUTE SEULE !!
J'SUIS PLUS UN BÉBÉ !!
MAIS JE... VOULAIS JUSTE...

... ÊTRE AUPRÈS DE TOI...

SHIMY EST UNE FEMME FORTE !!
ELLE DÉTESTE PARAÎTRE FAIBLE !!
ENCORE PLUS À TES YEUX, GRYF ! ALORS, NE SOIS PAS TROP PROTECTEUR AVEC ELLE !!

UN TEMPLE ... ÉRIZÉ À LA GLOIRE DES DIEUX !!
LES DIEUX ...
...
BRAM
MAUDITS SOIENT-ILS !!!
...

BONG

MAIS... MAIS... ÇA VA PAAS ?
C'EST À MOI QUE TU DEMANDES ÇA ?? TA DÉCOLORATION T'A ATTEINT LE CERVEAU OU QUOI ? REPRENDS UN PEU LE DESSUS, BON SANG !!!

NON MAIS, OÙ EST PASSÉE LA SHIMY QUE JE CONNAIS ?

LA VOILÀÀÀÀ !!! ET ELLE VA DOUBLER LE VOLUME DE TES FESSES À COUP DE PIED !!!

POC
DITES, VOUS CROYEZ QUE Z'EST BIEN LE MOMENT DE...
LE MOMENT DE QUOI ?

DÉSOLÉ, RAZZIA !! J'T'AURAIS BIEN LANCÉ UNE BOULE DE NEIGE, MAIS J'AI FAIT AVEC LES MOYENS DU BORD !!
T'INQUIÈTE...
RRRRRRRR
... Z'COMPRENDS TOUT À FAIT !!
PLOC !

ATTENDS, ATTENDS !! C'EST PAS ÉQUITABLE, ÇA !!!
FALLAIT PAS COMMENZER !!
AÏE !!
PAS LES CHEVEUX !!!
AÏE !!!
ET LÀ ?
ÇA A L'AIR AMUSANT... ON JOUE, NOUS AUSSI, DANAËL ?
RENTRE-MOI CES LAMES TOUT DE SUITE, TÉNÉBRIS !!!
PEUH... C'EST PAS DU JEU !!
13
14

AAAAH ...
CRRRRR

IL... Y A QUELQU'UN ? AU ZECOURS ...

L'ÉCOLE... LA VILLE... TOUT A ÉTÉ
MAIS QUI... A PU FAIRE ÇA ?

L'ARMÉE DES 1 000 LOUPS !! MAIS... POURQUOI ?
POURQUOI NOUS ? POURQUOI...

... MAMAN...
PAPA...

BAM
... SHEYLA !!!

KORBO ?

POUR LA ÉNIÈME FOIS, ZE M'APPELLE RAZZIA !!
ET PUIS ...

... ZE NE ME RAPPELLE PAS T'AVOIR INVITÉE À T'AZZEOIR IZI !!

ÇA SUFFIT !!
NON MAIS POUR QUI TU TE PRENDS ?

TU TE CROIS MEILLEUR QUE MOI ? DOIS-JE TE RAPPELER QUI TU AS ÉTÉ ET CE QUE TU AS FAIT, MÔSSIEUR RAZZIA ?
...

LES AUTRES TOLÈRENT MA PRÉSENCE À DÉFAUT DE M'APPRÉCIER !! QU'EST-CE QUI T'EMPÊCHE DE FAIRE COMME EUX, DIS-MOI ?

POURQUOI SERAIS-TU LE SEUL À AVOIR DROIT À UNE DEUXIÈME CHANCE ?

TU AS RAISON, TÉNÉBRIZ !
ZE N'EST PAS TOI QUI ES EN CAUSE, MAIS MOI. CHAQUE ZOUR QUI PASSE, Z'EZZAIE DE RACHETER LES ERREURS DE MON PAZZÉ ... ET PARFOIS, Z'AI L'IMPREZZION D'Y PARVENIR !!

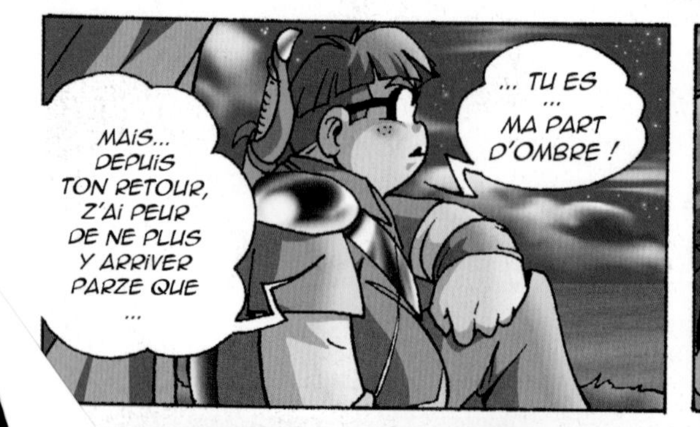
MAIS... DEPUIS TON RETOUR, Z'AI PEUR DE NE PLUS Y ARRIVER PARZE QUE ...
... TU ES ... MA PART D'OMBRE !

ALORS TU VAS DEVOIR FAIRE AVEC ...
... PARCE QUE TOI, TU ES...

... MA PART DE LUMIÈRE !!
15

16

OÙ SONT PASSÉS LES AUTRES ?
DANAËL ET JADINA EXPLORENT LES ENVIRONS ; QUANT À RAZZIA ET TÉNÉBRIS, JE CROIS QU'ILS SE PRENNENT ENCORE LE BEC !
ÇA VA MIEUX ? TU N'AS PLUS FROID ?
SI ! ENCORE UN PEU !
VIENS LÀ ! MA... HEM... FOURRURE TE TIENDRA CHAUD !
HUM ? EUH... MERCI !!

GRYF ...
... PROMETS-MOI QUELQUE CHOSE !

PROMETS-MOI QUE TU T'ENFUIRAS LE PLUS LOIN DE MOI POSSIBLE SI JE DEVIENS...
SHIMY ...
... JE TE PROMETS ...
... QUE DALLE !!!

CRÉTIN !!
PUNCH
TU NE COMPRENDS PAS CE QU'IL SE PASSE ? REGARDE MES CHEVEUX !!!
LE PROCESSUS A DÉJÀ COMMENCÉ !! SI JE DEVIENS ANATHOS, JE RISQUE DE TE... DE TE...

TOUT CE QUE JE TE PROMETS, C'EST QUE SI ÇA ARRIVE ...
... JE N'AURAI PLUS DE RAISON DE VIVRE !

GRYF ...
ET PUIS ...

... J'ADORE TA NOUVELLE COULEUR !

REGARDE, DANAËL !!
...

UNE GROTTE !!
EXACTEMENT CE QUE TU VOULAIS, NON ?

BON !
RETIENS BIEN LE CHEMIN QUI NOUS Y A MENÉS, C'EST TRÈS IMPORTANT !!
D'A... D'ACCORD !
DANAËL !!
QU'EST-CE QUI NE VA PAS ?

EST-CE QUE TU TROUVES QUE JE SUIS UN BON CHEF ?

EST-CE QUE MES DÉCISIONS ONT TOUJOURS ÉTÉ LES BONNES ?
DANAËL, TU ME FAIS PEUR...
QU'Y A-T-IL ?

JE SUIS FATIGUÉ DE COURIR L'AVENTURE ET RISQUER MA... "NOS" VIES CHAQUE JOUR !
IL Y A D'AUTRES HÉROS SUR ALYSIA ! LAISSONS-LEUR LE SOIN DE PROTÉGER CE MONDE !
JADINA ...
... VEUX-TU M'ÉPOUSER ?

TU ME ...
... DEMANDES EN MARIAGE ?
LES DERNIERS
... ENSEMBLE !!
17

OUI, DANAËL ...
MA RÉPONSE EST OUI !!
18

BON ! D'APRÈS UN INFORMATEUR AU PORT DE CEYAR, LES LÉGENDAIRES ONT EMBARQUÉ IL Y A TROIS JOURS À BORD DE L'UNICORN !!
MOUAIS, MOUAIS !
CE QUI FAIT AU BAS MOT UNE DIZAINE DE DESTINATIONS POSSIBLES D'APRÈS LA CARTE !!

PAS QUESTION D'ABANDONNER AVANT D'AVOIR MIS LA MAIN SUR MON FRÈRE ET L'ALYSTORY !!
HÉ ! Y FAUT PAS OUBLIER KORBO ET TÉNÉBRIS !!
BAM
COMMANDANT !!!
LA... LA DÉLÉGATION ELFIQUE !!!

ELLE EST ARRIVÉE !!

HO ! UN CAPITAINE D'ESCOUADE ? JE SUIS RAVI QUE LE ROI KASH-KASH AIT ACCEPTÉ DE RÉPONDRE À NOTRE APPEL À L'AIDE !!
MAIS C'EST ...
TOUTE AIDE EST LA BIENVENUE POUR...
FAISONS IMPASSE SUR LES FORMULES DE POLITESSE, VOUS VOULEZ BIEN ?
...
DITES-MOI PLUTÔT...
... COMMENT MA FILLE ET SES AMIS ONT PU PASSER DU STATUT DE HÉROS À CELUI DE CRIMINELS LES PLUS RECHERCHÉS DE VOTRE MONDE !!
ET FOI DE SHAMIRA, CAPITAINE DE L'ESCOUADE BLEUE, VOUS ALLEZ DEVOIR ÊTRE DES PLUS CONVAINCANTS !!
19

MES AMiS, NOUS Y SOMMES !! AUJOURD'HUi, NOUS ALLONS MENER LE COMBAT DE NOTRE ViE ...
... AUJOURD'HUi, NOUS ALLONS DÉFiER UN DiEU !!!

J'AI CONFIÉ À CHACUN DE VOUS UNE MISSION PRÉCISE ...
... DONT DÉPEND LE SUCCÈS DE MON PLAN POUR ANÉANTIR **ANATHOS** !!
J'AI CONFIANCE EN VOUS, JE SAIS QUE VOUS LA MÈNEREZ À BIEN !!
CE QUE NOUS ALLONS FAIRE AUJOURD'HUI N'EST PAS ÉCRIT DANS L'ALYSTORY POUR UNE BONNE RAISON...
PARCE QUE C'EST NOUS QUI DÉCIDONS ...
... DE NOTRE DESTIN !!!
LÉGENDAIRES UNIS UN JOUR...
LÉGENDAIRES UNIS TOU...
PARDON !
J'AI INTERROMPU QUELQUE CHOSE ??
21

VOS 24 HEURES SONT ÉCOULÉES !
LÉGENDAIRES ...
... TOUS EN POSITION !!!
VOUS M'AVIEZ PROMIS "LE PLUS BEAU DES COMBATS", SI JE NE M'ABUSE !!!
ALORS DÉPÊCHEZ-VOUS CAR IL ME TARDE DE PRENDRE POSSESSION DE MON NOUVEAU CORPS !!
LA PORTEUSE !!
"VOICI QUELS SONT MES ORDRES..."
"JADINA, TU CONDUIRAS SHIMY, RAZZIA ET TÉNÉBRIS À LA GROTTE DE CETTE NUIT. APRÈS QUOI, TU REVIENDRAS ICI POUR PRENDRE PART AU COMBAT !!"
"SHIMY, TU RESTERAS CACHÉE DANS CETTE GROTTE DURANT TOUT LE COMBAT !"
"RAZZIA ET TÉNÉBRIS, VOUS RESTEREZ AUPRÈS DE SHIMY QUOI QU'IL ARRIVE. CE SERA À VOUS DE LA PROTÉGER..."

"... AU CAS OÙ GRYF ET MOI..."
"... NOUS MONTRERIONS INCAPABLES DE VAINCRE LA PORTEUSE !!"
SOYEZ ...
... À LA HAUTEUR !!
22

RHAAA ?! COMMENT PEUT-ELLE ÊTRE SI GRANDE ET SI RAPIDE ?
QUE DEVRAIS-JE DIRE DE TA TAILLE, DE TA LENTEUR...
... OU DE TA STUPIDITÉ ?!
DANAËL !!
MERCI, MON POTE !!
BOOG
QUE... ?
JE N'AI PAS RÉUSSI ...
... À LA TRANCHER ?!
ET C'EST AVEC CETTE ÉPÉE D'OR QUE TU COMPTAIS Y PARVENIR ?
TU ES DÉCIDÉMENT BIEN NAÏF !
À MON TOUR...
... DE MONTRER UN ÉCHANTILLON DE MES CAPACITÉS !!
BON SANG !
HAAA ! VIVEMENT QUE JADINA REVIENNE POUR NOUS FILER UN COUP DE MAIN !!
...
NAVRÉ, GRYF !!
MAIS IL NE FAUT PAS TROP Y COMPTER !!
23

HAM
ON EST... ENCORE LOIN, ZADINA ?
HAM
HAM
PLUS TELLEMENT, ON Y EST PRESQUE ! COURAGE !!
...
HAM
PARS DEVANT, ZADINA...
...
... ON TE RATTRAPERA !!
QUOi ?
C'EST UNE BLAGUE OU QUOI ? ON EST BiENTÔT ARRiVÉS !! DANAËL NOUS A DONNÉ L'ORDRE DE...
ZINK
ON A... NOS PROPRES ORDRES !
CO... COMMENT ÇA ?
RAZZiA ! TÉNÉBRiS !
EXPLiQUEZ-MOI !!!
À NOTRE ARRiVÉE SUR L'ÎLE, DANAËL A ORDONNÉ À RAZZIA ET TÉNÉBRiS ...
... DE ME TUER !!!
24

BRAOM

C'EST DONC LÀ TOUT CE QUE VOUS AVEZ À M'OPPOSER ?!
LES HUMAINS SONT PITOYABLES !!

ALORS ... DANAËL ?

ÇA Y EST... TU L'AS ?
... OU IL FAUT QUE CETTE MOCHETÉ NOUS DÉROUILLE ENCORE ?

...
OUI... JE CROIS L'AVOIR... TROUVÉ !

HUM ? ET QUELLE EST DONC CETTE TROUVAILLE ?
TON POINT FAIBLE !!!

BAF

REDIS ENCORE UNE CHOSE AUSSI IGNOBLE ET JE...

TU... TU LE ZAVAIS, SHIMY ?
MES OREILLES D'ELFE PORTENT LOIN !

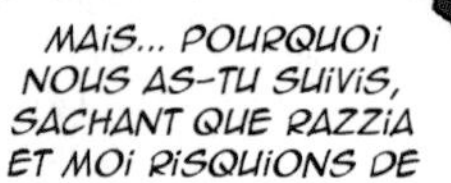
MAIS... POURQUOI NOUS AS-TU SUIVIS, SACHANT QUE RAZZIA ET MOI RISQUIONS DE ...

PARCE QUE DANAËL A RAISON ! SI LA PORTEUSE GAGNE LE COMBAT EN COURS, IL FAUDRA FAIRE LE NÉCESSAIRE POUR EMPÊCHER LA RÉINCARNATION !!
N... NON !
"EST-CE QUE TU TROUVES QUE JE SUIS UN BON CHEF ?"
"EST-CE QUE MES DÉCISIONS ONT TOUJOURS ÉTÉ LES BONNES ?"
DANAËL ... ALORS C'ÉTAIT ÇA QUI TE TOURMENTAIT ?
TU TE DÉGOÛTAIS D'AVOIR PRIS CETTE DÉCISION !!

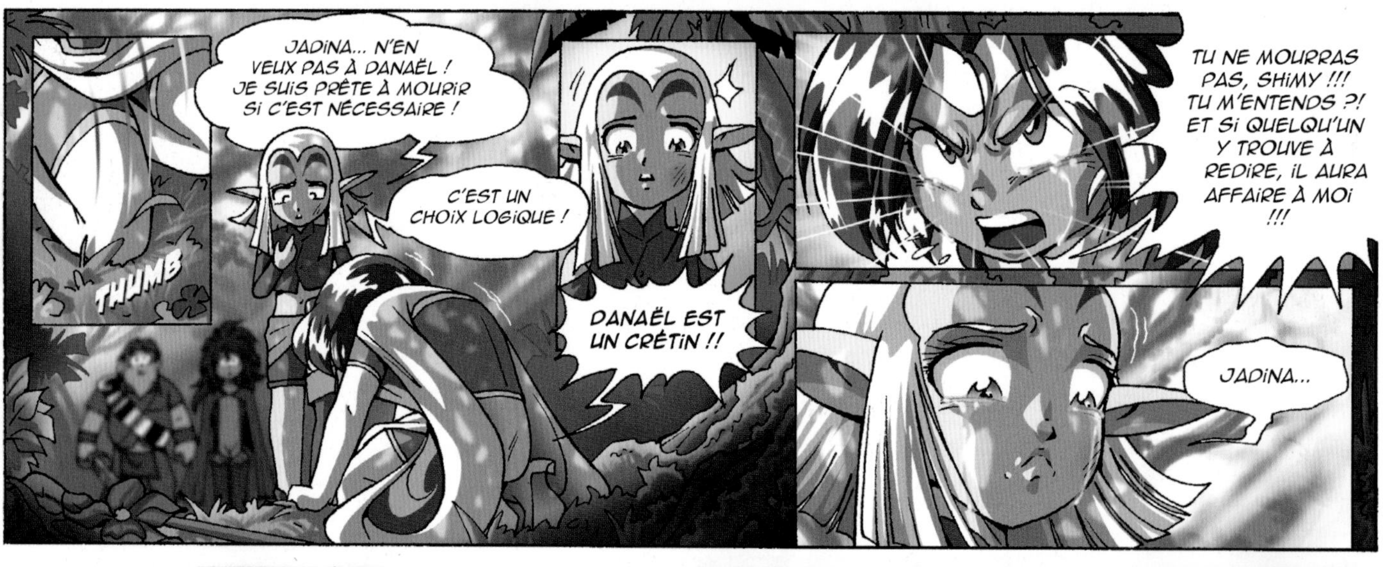
THUMB
JADINA... N'EN VEUX PAS À DANAËL ! JE SUIS PRÊTE À MOURIR SI C'EST NÉCESSAIRE !
C'EST UN CHOIX LOGIQUE !
DANAËL EST UN CRÉTIN !!
TU NE MOURRAS PAS, SHIMY !!! TU M'ENTENDS ?! ET SI QUELQU'UN Y TROUVE À REDIRE, IL AURA AFFAIRE À MOI !!!
JADINA...

ATTENDEZ !! IL Y A QUELQUE CHOSE QUE JE NE COMPRENDS PAS !! D'APRÈS DANAËL, TOUT CE QUE SHIMY ENTEND, ANATHOS L'ENTEND AUSSI !
ALORS, POURQUOI LA PORTEUSE NOUS A-T-ELLE LAISSÉS EMMENER SHIMY SI FACILEMENT SI ELLE CONNAISSAIT LE PLAN DE DANAËL ?
C'EST VRAI !!
...
ANATHOS A POURTANT BESOIN DE MA MARQUE...
LA ...
... MARQUE !!
26

QUE S'EST-IL PASSÉ ?
MON BRAS !!!
L'ÉPÉE D'OR !!
TU LA CONTRÔLES ?!

TON ARMURE EST PEUT-ÊTRE À L'ÉPREUVE DE MON ARME, MAIS LE SOUCI, C'EST QU'ELLE NE COUVRE PAS TOUT TON CORPS !!!
CE QUI VEUT DIRE QUE TU NE PEUX PARER QUE LES COUPS QUE TU VOIS ARRIVER !!

MAIS MAINTENANT QUE TU AS RÉCUPÉRÉ TON ÉPÉE, TU NE POURRAS PLUS ME SURPRENDRE, HUMAIN !
À MOINS QUE TU N'AIES UN AUTRE ATOUT DANS TA MANCHE ?!

EXACTEMENT !!!

ET IL S'APPELLE GRYF !!!
MAUDIT JAGUARIAN !!!
TU OSES PORTER LA MAIN SUR UN DIEU ?!
YEAAAAH !!!...
27

CRÈVE !
DANAËL ...
TU AS...
... RÉUSSI !
J'AI ...
... RÉUSSI ?!
J'AI VAINCU ...
... ANATHOS !!!
IL...
... IL FAUT QUE J'AILLE PRÉVENIR LES AUTRES !!
MÊME PAS LA PEINE... LES VOILÀ QUI ARRIVENT !!
DANAËL !
HÉ ! J'SUIS LÀ, MOI AUSSI !
28

DANAËL... NOON !
PRENEZ EXEMPLE SUR JADINA ET PROSTERNEZ-VOUS ...
... DEVANT ANATHOS !!!
ON EST ARRIVÉS ... TROP TARD !
C'EST PAS... POSSIBLE !!
ANATHOZ Z'EST RÉINCARNÉ ... DANS DANAËL !!
JADINA !!!
ELLE ...
ELLE EST...
ORDURE !!! TU VAS PAYER ...
... CE QUE TU AS FAIT À NOS AMIS !!!
VENGEANCE !!!
NON, ATTENDEZ !!! NE FONCEZ PAS TÊTE BAISSÉE !!
31

RHAAAA
QUOI ?
DISPARU ?
PERSONNE NE PEUT ÊTRE SI RAPIDE !
PERSONNE À PART PEUT-ÊTRE ...
... UN DIEU ?!
SHIMY... JE N'APPRÉCIE PAS BEAUCOUP LA FAÇON DONT ...
... TU ME REGARDES !!!
GRYF !!
QUEL GÂCHIS, FINALEMENT ! JE DÉSIRAIS VRAIMENT QUE TU SOIS MA RÉINCARNATION, TU SAIS ?
HAAAAAAA
... IL EST DES CHOSES QU'ON NE PEUT ÉVITER !
ENFIN...
N'EST-CE PAS...
... RAZZIA ?
32

IL N'Y A PLUS QUE TOI ET MOI...
... TÉNÉBRIS !!

JE CONSENS À TE DONNER LA CHANCE QUE LES AUTRES AURAIENT REFUSÉE ...
QUE DIRAIS-TU ... DE DIRIGER MES ARMÉES DU MAL ?
QUOI ?

TU AVAIS FAIT DU BON TRAVAIL AU SERVICE DE TON PÈRE !
REJOINS MES RANGS ET REMODELONS CE MONDE REMPLI DE PARASITES !!

J'AIME UN DE CES "PARASITES" !!!
ET MA PLACE EST À SES CÔTÉS !!
SNIKT
SNIKT

JE PRÉFÈRE MOURIR EN FEMME LIBRE !!!
VRAIMENT ?
EH BIEN SOIT !!

TÉNÉBRIS MÉRITE UNE CORRECTION ...
... MAIS C'EST À NOUS DE LA LUI DONNER !!!
ÉLYSIO ...
DARKHELL ...
... J'AI FAILLI ATTEN-DRE !!
33

TÉNÉBRIS !!!
PORTE LES LÉGENDAIRES JUSQU'À CE PORTAIL MAGIQUE ET FRANCHISSEZ-LE !!!
PENDANT CE TEMPS...
... ON VA S'OCCUPER D'ANATHOS !!!

NON ! VOUS NE POURREZ RIEN CONTRE LUI !!
IL S'EST DÉBARRASSÉ DES LÉGENDAIRES EN UN RIEN DE TEMPS !!

NE T'INQUIÈTE PAS POUR ÇA !!
CE DIEU DE PACOTILLE AURA BIEN PLUS DE MAL AVEC NOUS !!!

...
C'EST AUSSI CE QUE JE PENSE !!
VOUS SEMBLEZ EN EFFET BIEN PLUS PUISSANTS QU'AVANT !!

S'IL VOUS PLAÎT...
... PUIS-JE AVOIR UNE DÉMONSTRATION ?

IL SUFFISAIT ...
... DE DEMANDER !!

RÉUNION CÉLESTE !!!

...
IMPRESSIONNANT, JE DOIS L'AVOUER !!
IN... INCROYABLE !!
34

ILS ONT ...
... FUSIONNÉ !!!
LEUR PUISSANCE COMBINÉE EST TELLE QU'ELLE ARRIVE MÊME À CONTRER L'EFFET JOVÉNIA !! C'EST À PRÉSENT ...
... UN SUPER-SORCIER !!!
TÉNÉBRIS, OÙ EN ES-TU DE L'ÉVACUATION DE TES COMPAGNONS ?
HA ! C'EST BON, IL NE RESTAIT QUE GRYF !!
BIEN ! LE PORTAIL SE REFERMERA APRÈS VOTRE PASSAGE !
PRENDS BIEN SOIN DES LÉGENDAIRES, ILS SERONT LE DERNIER ESPOIR D'ALYSIA SI JE NE VENAIS PAS À BOUT D'ANATHOS ! MAIS SURTOUT ...
... PRENDS SOIN DE TOI, MA FILLE !!
...
OUI, PÈRE !!
ET VOILÀ ! NOUS VOICI SEULS À PRÉSENT, ANATHOS !!
JE TE REMERCIE DE LES AVOIR LAISSÉS PARTIR !!
BAH ! LES LÉGENDAIRES VIENDRONT À MOI D'EUX-MÊMES ...
... PERSUADÉS QU'ILS AURONT UNE CHANCE DE RÉCUPÉRER DANAËL !!
ZIP
CETTE CHANCE... EXISTE-T-ELLE ?
HÉ! HÉ!
VA SAVOIR !!
35

JE VAIS T'ENVOYER EN ENFER...
... ANATHOS !!!

L'ENFER ??
C'EST MOI QUI L'AI CRÉÉ !!

ZBAOAM!

KRAAAH!

WOOOOOOOOSH

RHAAAAA !!!
RHAAAAA !!!

BOOM

BOOM
BOOM
BOOM
BOOM

CRASH
CRASH

HAAAAAAAAAAAH
KRAA
BRAOOOM
37

HA! HA! HA!
TCHAK
?!
CLAP! CLAP!
BRAVO !!
VRAIMENT, BRAVO ! JE DOIS BIEN ADMETTRE QUE NOS FORCES PHYSIQUES SONT ÉQUIVALENTES !! JE N'AURAIS PAS CRU ÇA POSSIBLE !!!
MES FÉLICITATIONS AU GARDIEN POUR LE SPLENDIDE TRAVAIL QU'IL A FAIT SUR TOI !!!
IL SEMBLE MAINTENANT PLUS QU'ÉVIDENT...
... QUE C'EST EN COMPARANT NOTRE PUISSANCE MAGIQUE ...
... QUE TOUT VA SE JOUER !!!
JE SUIS TOUT À FAIT D'ACCORD !!!
QUE LE MEILLEUR L'EMPORTE !!!
SOUFFLE DU DIABLE !!!
FOUDRE EXÉCUTRICE DIVINE !!!
38

ENCORE UNE FOIS, NOS ATTAQUES SONT DE FORCE ÉGALE EN COMBAT LOYAL !!
QUI A PARLÉ D'UN COMBAT LOYAL ?
HEIN ?
39

TÉNÉBRIS...

ÉLYSIO
...
... ET
DARKHELL
...

...
NE SONT
PLUS
!!!

J'ESPÈRE
QUE LE SPECTACLE
A ÉTÉ À TON
GOÛT, GARDIEN
!!
TES CHAMPIONS
SONT MORTS...
ET À TON TOUR...

... TU VAS SUBIR
LE SORT QUI ATTEND
TOUS CEUX QUI
OSENT DÉFIER
...
... ANATHOS
LE TOUT-PUISSANT
!!!
40

NON...
... C'EST IMPOSSIBLE !!
JE NE PEUX PAS MOURIR !!
JE SUIS LE GARDIEN DES PIERRES DIVINES...

JE SUIS LE GAR...

41

HÉ !
HÉ !
ENFIN !!
HA! HA! HA! HA! HA! HA! HA!
JE ME SUIS DÉBARRASSÉ DE TOUS LES GÊNEURS !!! QUI, À PRÉSENT, POURRAIT S'OPPOSER À MOI ET M'EMPÊCHER DE M'EMPARER DE CE MONDE CRÉÉ PAR MES GEÔLIERS ?
QUI ... QUI ?
...
LES LÉGENDAIRES, ÉVIDEMMENT !! ILS REVIENDRONT M'AFFRONTER, ÇA NE FAIT AUCUN DOUTE !
ET ILS SE SERONT PRÉPARÉS POUR CETTE RENCONTRE !!!
ALORS MOI AUSSI, JE VAIS ME PRÉPARER POUR NOS RETROUVAILLES ...
... EN M'ENTOURANT DE PUISSANTS COMBATTANTS QUI SERONT À MÊME DE LES VAINCRE !!

VENEZ À MOI ...
... MES INFERNAUX !!!
42

UN PORTAIL MAGIQUE VIENT D'APPARAÎTRE !!!
QUELQUE CHOSE EN SURGIT !!
ATTENTION !!
THUMB
...

PAR ...
... PITIÉ !
À L'AIDE !!!

C'EST QUOI, CE BRUIT ?
J'SAIS PAS, MAIS ÇA FAIT PANIQUER LES OISEAUX !!
QU... QU'EST-CE QUE C'EST QUE... ÇA ?
HAAAA !!
44

RRRRRRRRRRR

HA! HA! HA!

HA! HA!
À PRÉSENT, ALYSIA NE POURRA PLUS IGNORER MA PRÉSENCE !!!

ET CE N'EST QUE LE DÉBUT !!
VILLAGE APRÈS VILLAGE, CITÉ APRÈS CITÉ, JE VAIS RASER TOUTE CIVILISATION DE CETTE PLANÈTE !!

LES HOMMES PAIERONT POUR LES DIEUX QUI M'ONT EMPRISONNÉ DURANT CES SIÈCLES !!
JE TRAQUERAI JUSQU'AU DERNIER D'ENTRE EUX...

VOUS ...
... VOUS QUE J'AI CRÉÉS À PARTIR DU SANG DE MES ENNEMIS !!
... ET VOUS M'AIDEREZ DANS CETTE TÂCHE ...
45

... LES INFERNAUX !!!
À COMPTER D'AUJOURD'HUI ...
... LA FIN DU MONDE COMMENCE !!!
À SUIVRE...

PROCHAINEMENT

« Lorsque le sang nouveau,
la bête réveillée, les yeux clos
et le bras du démon s'opposeront à l'âme pervertie,
le glas sonnera pour Alysia !!!! »

Cette mystérieuse prophétie annonce-t-elle
la fin du monde des Légendaires ?

Vous le saurez en lisant
VERSUS INFERNO,

onzième épisode des aventures de
Danaël, Jadina, Gryf, Shimy et Razzia.

Disponible chez votre libraire

LES LÉGENDAIRES

TOUT UN UNIVERS À DÉCOUVRIR OU À REDÉCOUVRIR !

Les Légendaires
de Patrick Sobral
Pour vivre des aventures
hors du commun !

20 tomes parus